Details of Daily Life

從仔細呵護儀容開始，打理一整天的自信

尋常細節　生活印象

那些設計與功能恰到好處的物件，往往安靜地融於日常生活，一天作息下來，
只在我們腦中留下模糊的輪廓。儘管如此，它們都是那麼地重要、不可或缺，
總是默默協助著我們，完成所有在乎的細節，讓生活的許多片刻更順遂。

Photography by 邱子殷

BRAUN 9465cc 9 系列諧震音波電鬍刀（上）、Oral-B iO8 微磁電動牙刷（下）

心愛寶寶的食物泥、早晨的一杯清爽果汁
都需要攪入綿密的魔法

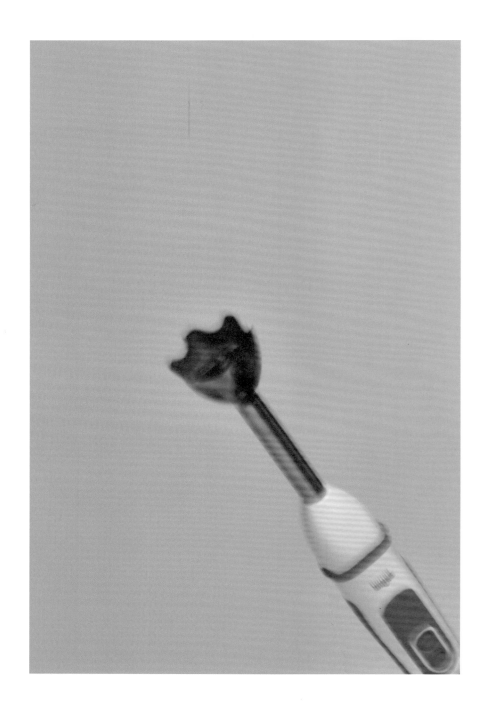

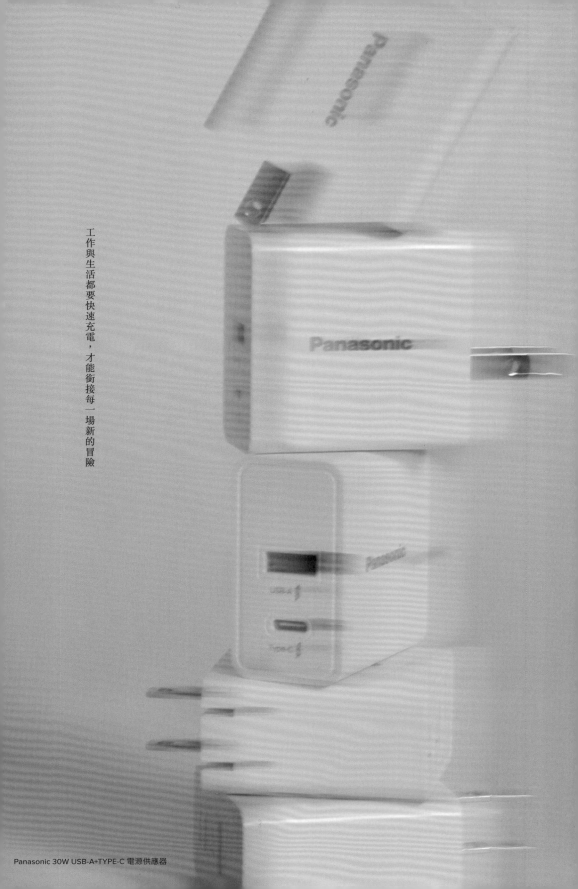

工作與生活都要快速充電，才能銜接每一場新的冒險

Panasonic 30W USB-A+TYPE-C 電源供應器

賴在柔軟的溫暖裡，今晚的夢境
再加長十分鐘吧

Sunbeam 披蓋式電熱毯

適時取出封存的點子，榨出多汁的滋味

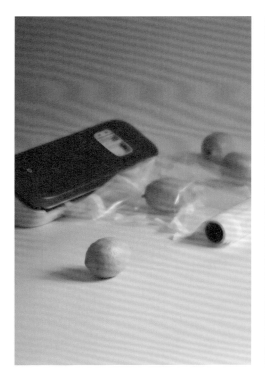 

用心準備每一餐，或許是生活最有效的調理

Oster Ball Mason Jar 隨鮮瓶果汁機
MAGIMIX 萬用食物處理機 CS3200XL 廚房小超跑

Business

①②③④⑤

8-37

從相機、相材到跨入歐洲的品牌選品，專注選品的恆隆行從選物思維、企業識別改造、體驗設計、打造企業形象、跨媒體內容經營等面向，在追求豐富生活的無限想像之下，將品牌格局持續擴大，期待自己不僅是代理商，更是一個生活風格品牌。以由下而上凝聚的創新思維，借助數位科技的力量，驅動著品牌不斷創造出型式多變、深入人心的內容。這一切來自董事長陳政鴻的經營哲學——當創新成為挑戰，接受可承擔的失敗，就是改變的開始。

商業版

給予創新失敗的自由 ————
讓改變成為不變的定理

TEXT by 林佳蕙
PHOTOGRAPHY by Kris Kang
EDITED by 彭永翔

專訪 *hengstyle*
恆隆行董事長　陳政鴻

從一顆小小的 Panasonic 電池、高於一般吸塵器市價近 10 倍的 Dyson 吸塵器，到成功擴展國內鑄鐵鍋消費市場達兩倍的 VERMICULAR，已有 60 多年歷史的恆隆行，不斷打開我們對於生活的想像。然而如何在「不可能」中看見機會？對董事長陳政鴻來說，每一刻都可以是開啟轉變的契機。

「我很喜歡海」。最近才剛拿到遊艇執照,之後還要跟朋友嘗試駕駛帆船的陳政鴻,總是嚮往著海的自由與開闊,帶著好奇心探索世界,實驗著各種可能,就像他 30 多年來在恆隆行所嘗試的各種突破與轉變。

步入他的家,大面開窗俯瞰著蔥鬱綠意的紅樹林與一片廣垠海景,這是他在日日處理繁忙事務生活中的暫歇之處。一張單人躺椅面窗擺置,觸手可及的矮桌上,放著他最近正在讀的《史丹佛大學心理學講義,人生順利的簡單法則》,這是他最喜愛的角落,稍稍磨損的書籍扉頁留下與閱讀共處的時光。

品味是從知識與實踐中慢慢學習

1988 年 9 月前,陳政鴻還在太平洋的另一端。

回國接手恆隆行之前,於加拿大留學的陳政鴻曾和妻子在多倫多經營深具亞洲風情的卡片禮品店。回憶這段初入商業領域的時期,當時認識的一對歐洲裔夫妻對自己影響甚深,帶領他們體驗不同的歐洲文化,打開了有別以往的眼界。帶著這份更加留意生活與人際的習慣,讓他在加入經營團隊之後,能以此為恆隆行開啟一片新氣象。

「日本設計大師水野學曾說,品味是從知識學習來的,而知識是從實踐來的。我們今日的品味不可能和三十年前一樣,不斷進化的動力,依靠的就是知識。因此我會不斷涉獵更多領域,而旅行常能帶來很多衝擊。」透過持續地培養多方興趣、增進各領域的知識,行走各地也觀察不同文化的生活方式,特別嚮往北歐簡單生活的他說:「對於品味的討論,也應該包含功能性的面向。快時尚已不流行,一個好產品不該只是美,應兼具實用性和良好的品質,這樣的產品才能持久。當我們擁有了這樣的物件,就能持續以喜愛的心情使用它。」

物件的永續價值應被納入品味考量,在這樣的前提之下,恆隆行的選品皆希望為擁有者塑造美好的生活體驗。陳政鴻認為一個好的設計物件,甚至有著改變生活的力量。喜歡下廚的他常常使用 VERMICULAR 的琺瑯鑄鐵平底鍋料理,他發現同為鑄鐵鍋,由日本師傅一一精製而非大量產出的鍋具,不但相對輕巧一些,也更加精美,而且幾乎不需維修,體現著日本職人的用心。擁有這樣的一只鍋具,操作起來更加得心應手並能同時享受品賞設計的樂趣,無形中也增加了下廚的意願。「導入這個產品後,藉由多元的銷售方式,

失敗是一種自由,沒有這份自由,無法面對創新的挑戰。

擴展了鑄鐵鍋的台灣市場，整體市場的銷售額已成長了 2 倍。」優質的產品深深影響生活型態，而他也期待透過這樣的成長，能夠讓更多人體會烹飪的樂趣。

相信失敗是一種自由

自 2006 年開始發展居家生活領域的恆隆行，從早期每年約 14 億的營業額，逐步發展成為年營業額超過百億的大企業，陳政鴻除了得守住上一代的成果，也得因應老企業在數位時代下消費市場的急遽變遷。回顧這一路的歷程，他認為經營的關鍵，亦來自於當時那一對歐洲夫婦教予他的處事與從商心法。「他們告訴我，往後若想成功地在社會上立足，就要成為一個 likable person，你得是一個不讓人家討厭的人，而關鍵便來自同理心。」

在恆隆行的 30 多年旅程中，面臨了許多市場的動盪與轉變。他至今仍記得最初那個在途中摸索的自己，因而後來能對團隊的主管們抱持更多同理心，並在公司釋出讓創意得以發展的彈性空間，「以前做決定的時候，不一定會清楚何種方式是正確的，得經過實際的嘗試才能驗證。所以，當我在面對主管時，我也會自問，如果我是他，會做得更好嗎？我一直希望公司裡可以有容許犯錯的自由氛圍。」

當公司規模逐漸變大，他也意識到失敗的風險將可能隨之增長，為了讓員工可以安心地保有實驗空間，最初，他每年提撥 1% 的營業額作為開發準備金，如今則以各部門提出年度策略以專案預算的方式進行，「我們現在面對著創新的挑戰，在這樣的過程中難免歷經失敗，而失敗是一種自由，沒有這樣的自由，大家只會承襲舊有的方式，雖不會犯大錯，卻也無法創新。」

每一個時間點都蘊含危機和轉機

抱著持續探索新領域的態度，恆隆行總先於市場看到時代之需，而早一步引入適合近未來生活的好設計。從遠遠超越一般市場訂價卻在引入之後造成熱烈迴響的 Dyson 吸塵器、為本地打開飲用風潮的 SodaStream 氣泡水機，乃至在 COVID-19 疫情期間熱賣的 LAURASTAR IZZI 蒸汽掛燙消毒機，陳政鴻說：「我們一直嘗試開發消費者不同層次的需求，希望將大家的生活帶進更好的階段。」

「好奇」是改變一切的起點。

當平順的時候要更小心，因為外在環境可能有些變化，是我們沒有注意到的。

當然，過去不是沒有失足的時刻。他不諱言結束代理 Panasonic 數位相機的時刻，是他這 30 多年來面對的最大衝擊。「當時每賣一台相機就賠一台」按照慣例，恆隆行需在半年前向日本原廠下單，但那時數位相機價格波動大，市場常常削價競爭，等商品到貨後，其半年後的市價早低於當初下單的價格，實在不符合經營利益，即便可能得面臨老員工失去信心而求去的困境，他還是忍痛割捨代理權。事後也證明，這樣的即時止損，並積極開發替代商品的作法，的確為公司帶來新一波的事業高潮。

對這樣的起伏，他始終保持平常心，並認為「經營一個事業，每個時間點都是危機。永遠得保持戰戰兢兢的態度。當你很順的時候就要更小心，因為外在環境可能有些變化，是我們沒有注意到的。這也是為什麼三年前我們決定啟動轉型，因為那是我們很好的時候。」

在數位時代中，創造獨特的線下體驗

科技與市場不斷變動，不僅改變了人們觀看世界的方式，也改變了人們對於消費體驗的期待。陳政鴻認為恆隆行下一階段的挑戰，是在數位時代中加強和消費者的情感連結。

「雖然現在有很多電商，但是人們還是需要實際的體驗和互動，而我們所引進的產品並非一次性的消費品，與消費者的互動更顯重要，大家得先產生對

這個公司的好感與信任感，才會願意進一步了解商品。」為此，恆隆行必須進行更長遠的策略性規劃、引入 CDP（顧客數據平台）精準掌握相關消費數據、深化品牌體驗，公司不是站在高處，而是走入消費者的日常，為他們發掘另一種生活的可能。

面對如今各大精品品牌也相當關注的 Z 世代，陳政鴻發現這群人的消費力逐漸成長，他們不一定追求名牌，但在意獨特的「體驗」，也相當重視企業的 ESG 表現。恆隆行從 2022 年開始推出諸如 restyle2050 平台、refresh 回收再循環計畫的永續方案，並積極和包括 Alife、了了礁溪、HOTEL COZZI 在內的空間與旅宿品牌合作，期待藉由導入循環消費的概念，讓這些看似不完美卻相當獨特的產品可以再進入一般人的生活中，打造更符合 Z 世代所期待的企業經營型態。

訪談那天，他帶著我們到頂樓的古雅庭園及由陳瑞憲所設計的湯屋走走。微風緩緩吹來，平常冬天喜歡泡溫泉的他，有時也會在這沉澱思緒，看的，依然是那片海景，只是視角更高更寬闊。「雖然我們知道未來恆隆行的方向在哪裡，但怎麼走，還在嘗試。」保有對未來的好奇心，一直是他認為很重要的一件事，因為「好奇」是改變一切的起點。路仍然在走，海浪依然不斷湧來，但不變的是，他希望未來恆隆行的選品依然能繼續陪伴每一個世代，一起過好生活。

Brand
Milestone

恆隆行在 1960 年由陳德富先生創辦，現任董事長陳政鴻於 1988 年回國接手後，
陸續代理各國精品小家電，並帶領恆隆行從代理商轉向為品牌商，為消費者引航
生活風格，協助熱愛生活的人找生活。

改變生活想像的風格先驅

目前代理

28+ 個品牌　　**210+** 個品類　　**7000+** 樣商品

1960 Start

1964 Panasonic 相材

1967 Panasonic 電池

1971 Panasonic 除濕機
Panasonic 濾水器
先後於 2001 年、2007 年結束代理

1999 OMRON
2022 年結束代理

2005 TWINBIRD

2006 Dyson
◎ 放在客廳展示的精品家電

2009 SodaStream
◎ 掀起台灣氣泡水風潮

2010 Honeywell

2013 Coway • FoodSaver
Oster • BRAUN • Oral-B

2016 CORKCICLE • Sunbeam

2017 MAGIMIX • Stasher • OXO

2019
Style • medisana
VERMICULAR • LAURASTAR
BRAUN 廚電

2022 LEXON
◎來自法國,屢屢獲得 Red Dot、
iF 等國際獎項的設計品牌

2023 SmartCara • SAKURA WORKS

2024 CRASH BAGGAGE
◎ 離家壯遊吧,恆隆行代理的第一個
旅行風格品牌

◎ 截至 2024 年 1 月統計資料

豐富生活的
無限想像

VARIETY
IS THE SPICE
OF LIFE

509.2m

約 5cm

◎ 賣掉的 Panasonic 3 號電池
一顆顆堆疊起來的高度

Panasonic
NEO

AA

約 **6.9** 萬 座

101 大樓

◎ 統計日期：2018/5/1 ～ 2023/10/31

最入門的商品價格	最高的商品價格
錳乾電池 **69** 元	SAKURA WORKS 氷溫 M2 LX95 -2℃ 雙溫酒櫃 **99,500**

◆ 創新而有感的行銷

❶ hence, 的網路瀏覽量

◎ 統計日期：2023/1/1 ～ 2023/10/31，
與去年同期相較。

PV 成長率 **217%**

使用者數成長率 **232%**

❷ 會員刊物期數

從 2017 年
發行至今共 **27** 期

❸ zonezone 體驗課程

2022 年總參與
率超過 **100%**

❹ 官方 LINE 好友數

至今累積 **500,000** 人

最輕盈 VS 最重磅

SAKURA WORKS 氷溫 M2
LX95 -2℃ 雙溫酒櫃

102 kg

Panasonic 鈕扣電池
LR44/2B（含包裝）

6 g

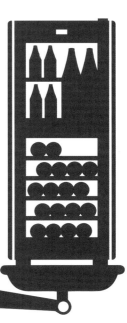

最冰冷 VS 最火熱

LAURASTAR SMART U
瑞士蒸汽熨燙系統

160 ℃

SAKURA WORKS 氷溫 M2
LX95 -2℃ 雙溫酒櫃

-2 ℃

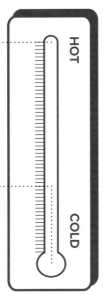

◆ 陪伴日常的細膩服務

❶ 客服

每月平均
電話接聽數 **11,375** 通

❷ 維修

每月平均
維修件數 **8,840** 件

❸ 到府

每月平均
到府服務件數 **490** 件

一日最高紀錄 **13** 場

Helpful

H E

Exclusive

TEXT by 游姿穎   PHOTOGRAPHY by Kris Kang、蔡耀徵、林祐任、沈暐翃

N G

New Experiences

Great Products

Innovation

當顧客體驗成為
唯一追求的
one thing —————

恆隆行的轉型
永遠是進行式

長期發展處資深協理陳思樺（Sarah）。

當品牌越來越競爭，消費者資訊接收的管道也趨向多元，零售業者必須轉型因應挑戰。恆隆行跳脫傳統銷售思維，不斷優化顧客體驗，持續嘗試作出新的改變，希望協助熱愛生活的人找生活，同時豐富人們對生活的無限想像。恆隆行的品牌團隊分享這幾年來，恆隆行如何從代理商邁向風格品牌的這段轉型之路。

從專注代理選品到以顧客體驗為核心，背後是恆隆行這 60 多年來對於市場「以變，應萬變」的企業思維。「變是恆隆行的 DNA，因為我們隨時感受市場的變，隨時做好轉變的準備。」Sarah 細數著恆隆行從最早代理相機器材到跨進生活家電，始終跟隨著生活趨勢前進，期許能比消費者再前面一步，選入讓人驚艷的產品。恆隆行很早就發現必須將「體驗」帶到消費者的日常中，因此能勇於做出改變，創造出與他人不同價值的服務核心。這些蛻變也讓恆隆行獲得國際 Global Innovation Awards（gia）的傑出家居與家用品零售獎肯定及全球 Top 5 零售商獎的殊榮。

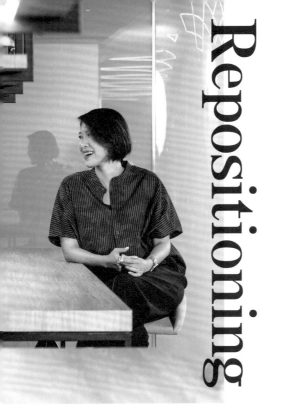

長期發展處資深經理郭珮君（Elaine）。

● 以顧客為中心逆向思考

提到重要的改變，2002 年是一個關鍵的年份。當年恆隆行開始進駐百貨，擁有自己的直營專櫃，以通路品牌商的姿態出現，人們在遊逛百貨公司之際，也能踏進「恆隆行」的專櫃，認識這個品牌所代理的產品。2006 年時，恆隆行大膽地代理引進高規格、高價位的 Dyson，當時許多人雖然好奇，卻因為從沒看過這樣的產品、不確定是否實用等諸多考量，遲遲不敢購入。此時，恆隆行的百貨通路發揮了關鍵的效用：藉由門市人員近距離的教學示範，將看似複雜的高端家電化為好上手的生活必需品，這樣的顧客體驗和服務，逐漸成為至今恆隆行難以被輕易取代的優勢。

突破消費者對於家電和生活用品的想像、為他們帶來更便利的生活，一路以來，恆隆行始終懂得換位思考，站在消費者端自問：「我能為顧客貢獻什麼？可以為他們創造什麼價值？」品牌團隊邀請外部顧問一起重新梳理出取自 hengstyle 的「H-E-N-G」價值主張，以此設計顧客旅程，在每一次互動體驗中傳遞品牌精神。

所謂的 H-E-N-G，分別代表著最重要的四個價值主張：H（Helpful）是指有幫助的、希望能確切解決顧客的問題，E（Exclusive）代表專屬的、個人化的，N（New Experiences）意指創新的體驗，G（Great Products）則是追求兼具美感與實用，且滿足不同需求的好產品。憑藉這四項主張去設計顧客體驗的旅程，透過顧客心聲（VOC）的蒐集，綜合顧客的需求和想法、值得關注的生活趨勢和議題，期待創造一次次超乎預期的選品和互動經驗。

「以前許多顧客都是先認識恆隆行所代理的產品，才回頭認識恆隆行。過去反覆地和消費者溝通卻成效不彰，於是，恆隆行近年重新審視與消費者對話的管道，重整品牌溝通策略。」 Elaine 談到恆隆行為了提供 Helpful 的顧客體驗，並建立品牌辨識度，內部花了一整年的時間盤點所有對顧客溝通的渠道，並以「one hengstyle」為策略，將一連串從售前、售中到售後的服務體驗，甚至是對於恆隆行企業精神的認知與接收，通通納入考量。短短一年中，一舉關閉過往近 70 個專櫃的 LINE 帳號，整合至單一的 LINE 官方帳號中，作為與消費者的重要接觸點與入口。因而消費者不再迷失於眾多帳號中，並可透過選單的分類按鈕，以更便利且零阻力的方式找到恆隆行提供的一切服務，並提供多元生活設計的報導內容、新品訊息及活動推播，開啟全新對話模式。

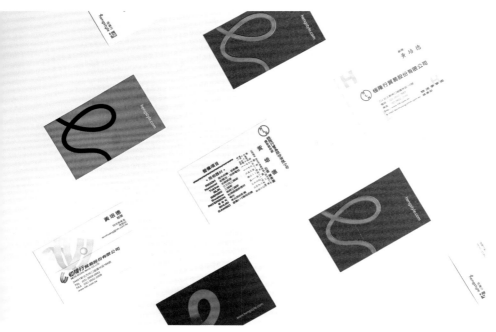

顧客服務處經理黃培德，從民國 77 年踏入恆隆行工作至今，他所珍藏的名片，可見恆隆行在 Logo 設計及品牌識別面多年來的轉變。

Rebranding

● 全新品牌 Logo 傳遞跳脫框架、串聯生活的想像

面向大眾，向外傳達新的品牌精神，更需將理念化為新的符號。從點開恆隆行官網，到走入百貨專櫃，甚至是手上提的紙袋與名片，都可以看見恆隆行的 CIS 與 Logo 變得更柔軟且簡潔。

60 多年來，恆隆行的企業識別經歷多次轉變。從 1960 年，由公司創辦人、時任董事長的陳德富先生親手設計的 HLH Logo（恆隆行的英文名稱 HENG LEONG HANG，縮寫為 HLH），演化至今簡化成具當代簡約風格的單一英文字母以「h」作為主要設計元素的識別；品牌英文名也從貼近貿易代理商的商行形象「HENG LEONG HANG」轉變為更強調帶動生活風格品味的「hengstyle」，整體設計從早期較為正式的風格，轉化至貼近生活的形象，也象徵恆隆行從早期 B2B 的定位，逐漸轉向至 B2C 的溝通。

（左）小大創意內容策略總監潘道怡（Ingrid）、（右）小大創意創意總監王盈正（Ryan）。

2021 年誕生的新企業識別，有著像是禮物緞帶一般的「ℎ」，令人聯想到富有溫度的英文手寫草書，帶著具有躍動感的線條，而每一段線條的舞動，代表著不同的生活型態，彷彿訴說著生活本就應該是「活著」的，能延伸串聯起無限的可能、創造更多的連結，而 h，就是想像的起點。

這是 2020 年起，恆隆行找來「小大創意」著手進行企業識別更新的成果，將品牌理念化作有感的視覺體驗。 小大創意的創意總監 Ryan 回憶起最初，藉由重新思考前一版 Logo 的樣式與未來恆隆行可能擴展的溝通渠道，重新調整出現在的 Logo。如今外界看到的全新 Logo，將恆隆行英文字母中的「h」作為錨點，轉化為「跳出框架」連結人與生活的線，並將視覺風格加以延伸，進而樹立品牌「串聯多元生活想像」的鮮明印象。

從與恆隆行合作企業識別設計到參與 zonezone 概念店的命名並策劃《24 objects x 24 books x 24 moments》開幕展，一路以來小大創意的團隊也漸漸認知到恆隆行的「性格」。小大創意內容策略總監 Ingrid 在過程中發現，恆隆行雖然是以傳統代理商起家，但從上到下團隊卻很有創意與靈活度，「恆隆行的轉型永遠是進行式，不斷在變動、優化與調整，我覺得這也是品牌最大的核心價值。」

開箱恆隆行新願景

2022 年的年會上，每位員工都得到一盒神秘箱，從「開箱」過程感受並看見品牌新階段的識別證、企業特質和願景。其中也將企業 DNA 包括 Agility（敏捷）、Boldness（果敢）、Care（同理）、Diversity（多元）、Ethical（誠善）等價值，轉化為跳繩、果乾、口罩等物件。以創意方式向內部溝通品牌新定位。

TMO

● 啟動跨部門的虛擬辦公室，凝聚轉型共識

2020 年，為了發展以顧客為導向的創新策略，恆隆行採取了 Google 等知名企業亦在使用的 OKR（Objectives and Key Results）工作法，期望團隊可以發揮創意優化顧客體驗，「過往的企業文化，大部分都是由上而下塑造、倡導，但這個年代顧客在轉變、通路在轉變，已經無法以業績導向量化轉型目標，想要創新必須由下而上去驅動，同時也可以讓企業保有年輕的活力」。

然而，發展過程中卻遇到許多中大型企業會面臨的瓶頸：各部門有各自目標，雖有滿滿的想法，卻無法聚焦。為此，恆隆行再次回頭檢視，那顆宛如北極星能指引大家方向的標的在哪？「我們的目標不再只是代理精品家電，而是豐富人們對生活的無限想像，以此持續往前走，不斷地 redefine 我們自己。」經過重新定義品牌定位，恆隆行提煉出更為具體可實現的使命和願景 —— 以「協助熱愛生活的人找生活」作為使命，去完成「豐富人們對生活的無限想像」的願景。

2021 年底，在這樣的共同目標下，恆隆行開始有系統地發展出轉型的藍圖。成立了虛擬辦公室 —— 任務導向的跨組織 TMO（Transformational Management Office）團隊，以顧客體驗為核心、貼近 H-E-N-G 四大主張，希望打造與顧客之間更好的體驗、減少互動阻力。

那麼，TMO 成員從哪來呢？

在董事長寄給同事的一封公開信中，以 Steve Jobs 的引言「如果你在做一件令人興奮且你真正關心的事，不需要被催促，願景自會牽引你。」起頭，邀請同仁們一同參與，之後從公司各部門便湧進了許多既期待也相信能改變的同仁們參與徵選。之所以決定從各部門遴選成員，負責數位轉型的 Elaine 解釋，其實是希望透過這些對公司有熱情的成員成為內部創新的種子，將公司轉型的目標與理念向內傳遞給各事業處，而在導入與建立新工具時，來自不同部門的 TMO 成員也可以拋出各部門需求，協助專案落地、優化以符合需求的同時，間接成為各單位承接運用工具的導入教練。

恆隆行跨界旅宿企劃體驗活動。圖為與了了礁溪合作房型的期間限定配

TMO 有兩大主軸任務：一是橫向串起顧客旅程，利用新的數據資料庫，掌握顧客樣貌、了解消費偏好，以便能透過不同的方式與顧客互動；第二，是將行銷、銷售與服務垂直整合在一起，以個人化行銷、無縫零售及卓越服務為目標，透過敏捷式組織去設立不同階段任務，進而打造更符合未來顧客旅程的創新服務。

曾負責 TMO「卓越服務」專案的成員、也是最熟稔公司核心系統 ERP 的朱育宏（Johnny）與團隊夥伴就孵育出「官網購物自動保固」及「官網贈品登錄流程重構」，讓會員在恆隆行自營的電商及專櫃購買產品及登錄贈品時，能同時自動完成官網保固。對顧客而言不僅更便利，不需等到東西壞了才慌張翻找發票做為保固證明，更大幅縮減內部人工審核作業。雖然，看起來只是幫消費者省去一、兩個動作，背後卻是由一群 TMO 的成員們超過半年的努力才達成的成果。

Crossover

● 跨界合作與消費者探索生活的多元面向

現今大部分的零售商都往綜合型電商的方向發展、跟風似地擴大產品線，恆隆行卻堅持走自己的路、挖掘不一樣的品牌，希望成為生活品味的傳遞者，讓生活 level up。

過往恆隆行引進新商品時，會希望告訴顧客這件商品有多厲害，但現在相反，是先創造一個美好生活的畫面，讓顧客產生憧憬，進而去認識產品所隱含的設計美學與功能，或者增加生活感動等，同時理解到一件物品可以如何為生活帶來更多的意義。

而走出通路，跨界與旅宿品牌合作，是恆隆行勾勒生活想像的全新嘗試。例如 2023年與了了礁溪合作企劃「JING 心時刻」慢旅體驗，不僅是將恆隆行精選的生活家電自然地融入旅宿空間，也呼應飯店的生活哲學，策畫以物傳遞恆隆行的生活美學，引導創造物件、場域與人之間的互動時刻。讓人們看見恆隆行的產品如何突破框架融入在各樣的生活場景中、成為日常裡的隨時陪伴。種種展覽與體驗，都只有一個目的：都藉由一次次的激盪，與每位來訪者共同想像未來生活的形狀。

2022 年恆隆行榮獲《Shopping Design》雜誌主辦的 SDA Award 台灣設計 BEST 100的年度原創品牌大獎，從精品家電代理商到全方位的生活風格品牌的這條路上，恆隆行希望帶給消費者的不只是單一產品的價值，更希望能與人們一起探索屬於自己獨一無二的理想生活，打開生活中的另一扇窗，看見新的日常、新的自己。

永續
是通往未來的
風格哲學

Innovations for a
sustainable lifestyle

永續已然是個人、社會共同追求的新生活價值，企業探索的新商業模式。恆隆行作為風格生活的帶領者，從成立循環經濟數位平台，觸動永續思考的策展，到跨界合作的循環設計、永續生活提案等，向當代消費者傳遞——每一次的「選擇」都在積累、形塑著未來的生活樣態。

keyword 01 從選品開始

恆隆行以家電類產品為代理大宗，便利的家電也帶來最直接的環境代價，涉及能源消耗、產品報廢、碳排放、碳足跡等問題。綜觀產品歷程會經過設計、製造、物流、銷售及行銷、產品使用到最終的處理階段，恆隆行作為代理商如何從選品、商品購買、售後服務，以及產品再利用去創造永續生活？

恆隆行的選品哲學深信引進國外具有環境意識的質感品牌，就是對永續生活的追求。恆隆行在選物時並非以市場調查作為金科玉律；更多思考的是：「產品從外觀到使用設計能不能耐久（durable），是否能打造出跟別的產品不同的使用場景，為你的生活問題帶來解方，或是創造不一樣的生活樂趣。」透過替消費者「選擇」實用且能長期使用的商品，是恆隆行展開永續行動的第一步。

早在市面上廣泛出現環保食物袋之前，恆隆行便從美國引進 Stasher 環保矽膠密封袋，美國原廠也推動矽膠製品能回收再利用於工業用途或隨身配件，讓產品的生命週期得以延續。過往隱含在恆隆行選品時的永續思考，現在也朝消費者傳達：每個人在日常裡透過有責任、有意識的「選擇」，都能對環境友善盡一份心力。

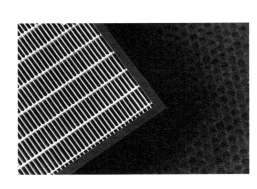

keyword 02 restyle2050

恆隆行一直以來藉由提供產品保固、維修服務，延長產品使用壽命。2022 年，恆隆行更支持並成立 restyle2050 平台，以「循環經濟」概念發起永續作為，透過推廣使用「不完美」的產品，以行動倡議可循環的選擇，讓每一次的消費點滴積累成「2050 淨零碳排」的生活期許。

2023 年，恆隆行為永續生活提案跨出另一步，推出「不完美商品的分級制度」。在 restyle2050 平台上架的循環經濟商品，經由專業團隊依據其盒損狀態、外觀使用痕跡，以及是否曾經過整新等原則為產品分級，並在產品頁面清楚標示出商品狀況，讓產品不只有全新與福利品的兩種劃分，而有更細膩的分級，並採取價格透明的策略，讓消費者可以按照個人需求，進行消費選擇。

keyword 03 循環經濟

在 2023 年 8 月啟動的「refresh 回收再循環計畫」，帶動消費者在選購不完美的商品後，再跨出下一步，將耗材如濾網、不再需要的空氣清淨機交給恆隆行，為它們找到新可能。負責推動恆隆行永續專案的卞文俊（Webster）解釋：「以清淨機的 HEPA 濾網為例，大部份是以人造纖維的材質成分為主，回收後進行有效的分類再處理後，能以塑膠粒子的方式再延伸運用或新生成各種的可能性。」未來，恆隆行計劃將這些新生品融入櫃位及道具設計，將透過策展向消費者展示，以循環設計賦予廢棄物件全新生命。

當永續成為當代議題，恆隆行作為替顧客解決日常問題、尋找新生活體驗的角色，便認知到，「生活本該是永續而顧及下一代的生活環境，每個人的生活型態不同，但每個人都可以在其中植入永續概念並付諸行動。恆隆行因此結合 sustainability 跟 lifestyle，探索更多元的永續生活提案。」永續並不是紙上談兵的新興名詞與熱潮，而是落實在日常選品與生活哲學，以此解決當代生活需求，乃自探索永續生活的無限可能。

負責推動恆隆行永續專案的卞文俊（Webster）。

keyword 04 跨世代合作

restyle2050 攜手台灣設計研究院（下文簡稱設研院）、大學院所師生，透過產學合作案，針對循環再設計主題延伸出全新的可能，藉由跨世代的合作帶動議題向外擴散。

設研院以循環設計為主題推動產學研創新計畫，Webster 說到此次雙方合作，「他們（設研院）認為恆隆行代理家電產品深入大眾生活，藉由我們推動循環再設計，大眾會更有感。」在此計畫中，從消費者端回收的 Honeywell 舊濾網，以及原本要報廢的 Dyson 吸塵器、空氣清淨機的機身和各部分拆解的零件，都因著師生們的創意設計，有了迥然不同的生命。

在不預設過多的限制之下，恆隆行與學校雙方都在嘗試循環再設計的可能，探索廢棄物的未來型態。講起初步設計圖，restyle2050 企畫團隊深感期待，好比其中一個提案計畫將舊材料新生為潮流配件，呼應永續時尚潮流；另一組團隊則認為恆隆行的選品帶有 Invisible Senses（隱形的品味），藉由重新包裝與設計耗材和廢棄品成為家具和家飾，再次展現產品原有的工藝和特色。透過產學合作，將永續理念傳遞給年輕世代。

在 restyle2050 與設研院攜手合作的《IMPERFECT[sic]》展場中，可見 Dyson 的吸塵器零件透過學生的巧思與巧手，化身超有型椅凳。

1 從老穀倉再生的民宿空間小雨林。
2 恆隆行與 HOTEL COZZI 策劃的永續住房體驗。

keyword 05 綠色旅行

對於恆隆行來說，永續不僅是議題倡議，還要成為新的生活風格。restyle2050 透過跨界旅宿業者等多元場域，將永續帶入每個人的日常。其中由 restyle2050 深入從老穀倉再生的民宿空間小雨林，依照不同使用情境挑選合適的不完美產品，一起深化永續行動。Webster 談到，旅宿選用的生活家電，不一定要使用全新品，在功能與外觀無虞的狀況下，也能選擇循環再利用的家電，不僅讓旅客在入住期間使用到恆隆行的生活 家電，更能支持循環經濟，為消費者敞開永續生活的可能。

而另一場跨界旅宿的永續體驗，則是與主打親子客層的 HOTEL COZZI 策劃永續住房體驗之旅，除了在空間中體驗與永續有關的恆隆行家電之外，還規劃以永續為題的親子互動時光，在摺紙遊戲的設計裡，從水資源與再生能源的認識、到了解如何減少空氣汙染和海洋汙染的行動方案等等，以輕鬆的方式認識地球永續的相關議題。

PHOTOGRAPHY by 林祐年

1

2

《WalkingBlock 徒步街廓》是一本關注大台北城市永續、都市再生的雜誌,將都市計畫、建築、交通、經濟等多面向的政策與趨勢內容,深入淺出地傳達給大眾。(https://www.turf.org.tw/catalogs)

keyword 06 城市永續

除了居家生活,恆隆行也認知到,我們所處的城市正面臨世代交替的變革之中。城市的更新需要兼顧軟硬體雙方面,盤點存在其中的議題,發起倡議行動,進而促成生活的城市出現改變,人,是推動都市發展的活水。

為支持及鼓勵年輕世代關心台北乃至世界的都會再生議題,「社團法人台北市青年支持未來都會再生協會」(Youth for TURF Association,簡稱 TURF)便在恆隆行的支持下,於 2019 年 2 月成立。TURF 透過網路平台宣傳,將永續思維結合於創意韌性建築、AI 防災遊戲、永續地方創生活動中,每季更出版電子雜誌探索城市未來的理想樣貌。電子報各期專注不同的城市願景、推薦書單也安排深度專欄,讓大眾理解城市發展的可能,感受到永續其實與個人切身相關,進而願意產生行動,同心協力走在城市通往未來的道路上。

TURF 最初是為了支持及鼓勵年輕世代關心台北都會再生相關議題,協會致力於推動「駐台北世界公民培育計畫」,目的在於提升年輕人的國際視野,以特定主題專案,透過團隊實作,讓年輕人在思考、激盪、溝通及簡報的過程中,找出大台北地區的永續城市發展解方,並在潛移默化中養成解決複雜問題的 mindset 和能力。

透過每一次的培育計畫、多元管道與形式的倡議,推動每個在城裡生活的人,開始關注環境永續、新興產業、人文素養對一座城市得以持續創新的能量。TURF 將當代議題帶入青年世代,城市開始有了綿綿不絕的活水與能量,人們日常的生活美學也有了持續進化的可能!

駐台北世界公民培育計畫鼓勵師生共學,透過 AI 人機協作學習災難恢復計畫。

OPEN *house*

開箱恆隆行總部

你如何認識恆隆行？是和理想物件相遇，從此日常裡多了美感和餘裕？是在一次服務中，感受到有人親手打理讓生活中的煩躁迎刃而解？還是在策展活動中，和一群人共同發現只要多點想像，生活會朝著全新的方向開展？引領生活風格的恆隆行首度開箱總部，在空間設計中體現「讓生活大於想像」不僅是公司的願景、想帶給顧客的啟發，更是在夥伴思維中醞釀的生活哲學。

TEXT by 許羽君　PHOTOGRAPHY by 余松翰

溫度與科技感兼具的空間設計

恆隆行的總辦公室包括辦公區域、會議空間，以及多元型態的討論空間。在吧檯，以冷靜的燈光與銀灰色量體交織出科技感十足的氛圍，同事們會在這裡使用 VERMICULAR 煮飯，或用 SodaStream 調製飲品，以測試產品的各種可能。散落四周的階梯式座位、盈滿綠意的高腳座位區、暖灰色的卡式座位，多樣的空間規劃，讓每個人都能找到安心自在的工作型態。

醞釀靈感的辦公環境

在辦公空間，由燈管交織出如網絡般的天花景致，創造合適於閱覽的燈色。會議空間設計以智慧電控的調光玻璃，能瞬息隔絕外頭景物。讓一人的作業、一群人的會議，都能形成醞釀靈感的時空。

製造想像的攝影棚

是直播棚也是動態攝影棚,為物件捕捉
迷人的樣態,也創造生活情境想像,亦
有真人解說產品,當「ON AIR」的燈
光亮起,就是恆隆行與顧客正朝向美好
生活的魔幻時刻。

01—New Retail Format

02—Owned Media

關鍵頭條

生活中有需求也有渴望。恆隆行以質感選物、專人到府服務、精準派工維修，打理眾多日常，也在各式體驗活動、回應當代議題與美學的內容企畫中，將遠在想像裡

Headlines

的種種生活樣貌，帶到每個人的眼前。透過這些從基本需要到細膩五感的超連結，感受恆隆行不僅是平凡日子的陪伴，更是觸發生活想像的存在。

zonezone 如何為來者創造

打開對於概念店的全新想像

zonezone，意味生活「林林總總」的集結，取諧音，略感其活潑俏皮的一面。作為恆隆行品牌轉型與重塑的重要一環，概念店的存在就好像走在企業前沿的實驗場，在裡頭翻玩所謂「生活」的諸多元素，啟動好奇心的開關，為消費

生活的種種可能？

者打開全新的視角。2024 年，zonezone 空間邁向第三年，以選品服務、快修通貼近顧客心理，嘗試各式飲食、文化、策展等體驗活動，下一步，zonezone 即將為拓展更豐富的生活選擇而展翅與啟程。

New
Retail Format

TEXT by YIHSIN
PHOTOGRAPHY by Kris Kang
PHOTO COURTESY of 陳易鶴、恆隆行

好氏研究室創意總監陳易鶴。

走進恆隆行的品牌概念店 zonezone，圓拱樑柱形塑出有如殿堂般的氛圍，安靜、高級卻不失品牌的個性。挑高設計為空間留有呼吸的餘裕，打破了選品門市陳列的規則，放大了空間被運用與解讀的空間。

談及 zonezone 的空間設計，好氏研究室創意總監陳易鶴透露，「當時嘗試大膽地體現一個『完全可以挪動』的空間，讓所有的貨架皆是可移動的，整個空間有機會全然地淨空」，揣著挑戰業主的頑皮心態，陳易鶴試圖翻轉品牌對於通路的想像，「一開始設想 zonezone，只知道它應該會是一個跟『食物』有關的空間，其餘都是空白的。」留白拓寬想像的幅度，整體空間以美術館的概念出發，將置於其中的產品想像為展品，也空出欣賞物件、想像生活、展開體驗的餘裕。

翻轉一般品牌對於概念店的想像

「其實一開始的初衷很簡單，想要做到全台灣家電品牌都做不到的事」，透過實驗性空間塑造，將恆隆行的品牌美感推前，陳易鶴表示，zonezone 的設計哲學體現於改變空間的主體，期待消費者走進該場域，能夠感受到家電不再是此處陳列的重點，而是整體的氛圍感及體驗。這也是恆隆行在一連串品牌重塑過程中的期望 —— 將恆隆行品牌置於產品之上，試圖勾勒出一幅嶄新的圖像，讓「恆隆行」站在產品代理之上，成為一種生活風格及美感體驗的代表。

「特別是疫情之後，人們開始往實體去尋找體驗。我們是人，人有感情需求，因此如何透過空間創造出那種『觸動感官』的體驗非常重要，它要帶有震撼感，讓人一進到這個空間，就能很身體性地察覺箇中的不同。」談及 zonezone 自完成以來的策劃的各項體驗活動，陳易鶴坦言，自己從未想像過這個空間能有這麼多實驗性的運用。從 2021 年，zonezone 舉辦的開幕展《24 objects x 24 books x 24 moments》開始，將日常生活、紙雕藝術與品牌產品結合，以突破性的手法展示選品。

此概念店承接了疫後人們急欲接觸與體驗的需要，展開一次又一次關乎如何拓寬生活疆界的旅程。有鑑於恆隆行在規劃概念店時並未給 zonezone 太過侷限的規範，這反而給予經營團隊莫大的自由，從用戶需求延展出各種各樣的體驗活動。對此，負責恆隆行概念店 zonezone 營運的王慈君（Claudia）提到，「如何與外面的活動和課程作出『差異化』是關鍵」，從 2021 年開始以拓寬參與者生活邊界為核心的「生活好課」，到與全台各地知名餐飲品牌合作的限定餐飲體驗「話題食室」，zonezone 在打造差異化講座及獨家活動的企畫上費盡心思，化創意於無形，走出一條前所未有的道路。

透過空間創造出「觸動感官」
的體驗非常重要。

1 zonezone 開幕展《24 objects x 24
　 cooks x 24 moments》。
2 zonezone 攜手定置漁場三代目策劃
　 限定餐點並傳遞友善海洋的漁法。

豐富生活的無限想像

提供不一樣的餐飲體驗為最初設想，然而究竟要提供什麼樣的體驗，才有機會在這個創意零售的戰場上拔得頭籌？ Claudia 說：「快閃就是我們的策略。」透過快閃形式嘗試多元企畫，並為每一檔活動客製專屬的主題、菜單以及流程，對於消費者而言，「僅此一次」的尊榮感也將在行銷上帶來效益，「同時，也可以藉由客製化內容與恆隆行的商品產生連結，與合作團隊共同玩出不同的花樣」，在深度合作的基礎上，彼此加乘、相得益彰。

「即便地點與場域不變，透過內容的翻新，消費者每一次專程來到 zonezone ，都可以帶走不一樣的體驗，並且在活動裡頭看見另一種生活的可能，帶走可即刻嘗試的改變」，舉例而言，zonezone 在 2021 年與當時位於台北大安區、強調自然永續的複合

式餐酒館 VG Encore 合作推出《Our land – Formosa 寶島與寶藏》餐飲體驗，期間，主廚將各式台灣特色香料融入菜色之中，並使用恆隆行的 VERMICULAR 琺瑯鑄鐵鍋將馬祖的淡菜以清酒悶熟，於料理之中融入新意，同時賦予產品展示的情境。

「除了現場的體驗，我們也很強調體驗之後的『take away』，讓參與者有機會在餐後將食譜及其特殊的調味料帶回家裡。」這份延伸至課外的細膩安排來自於團隊的巧思 —— 在餐廳能做的，回家也能做得到。家是生活的載體，而恆隆行渴望傳遞的，便是通往「好生活」亦有其捷徑，在探索品味與講究生活的路途中，zonezone 就像是一個啟發與探索的場域，提供消費者選品諮詢、快修服務、快閃主題餐飲、課程體驗、書籍選讀以及獨家講座，共同為前往理想生活的路上，開鑿出一條可能的路徑。

跳脫框架的實驗性場域

「當這些企畫有機會為恆隆行這個品牌，以及合作的餐飲店家創造雙贏的時候，無論是恆隆行、合作方或者參與體驗的消費者，都能從中看見新的可能性」，例如，探究好的體驗如何能為用餐的過程創造多少意料之外的驚喜；當企業將「記憶」與「感受」視為形塑品牌的重要策略，那麼體驗在其中則可以扮演怎樣的關鍵角色。

「所以，即便很常被說：你們很費工、你們很瘋狂，我們還是堅持這個方式是對的」，2023 年，由 zonezone 概念店營運部所推出的兩檔話題食室 ——《拆解夜市》以

負責恆隆行概念店 zonezone 營運的王慈君（Claudia）。

及《謎探樂園》餐飲體驗，前者運用 Fine Dining 形式翻轉台灣小吃印象；後者則將實境解謎與劇場元素融入餐飲體驗。其中，《拆解夜市》開出 280 個名額在三天內快速完售，兩檔活動在當時皆創造出熱絡的參與度及討論度。此外，zonezone 與花蓮定置漁場三代目合作的《漁浪之間｜洄瀾麵屋》則湧現出前所未有的參與人潮，在原定 560 個席次之外，還超賣了 100 席，為得便是能在台北享用大海精華，同時更加理解友善海洋的漁法及永續餐飲的概念。Claudia 笑著說：「還有客人甚至透過美國運通的代訂服務想要訂位。」

曾參與多檔話題食室、生活好課企畫，在 zonezone 擔任生活體驗顧問的黃偉翔（Alan）相信，疫後世界確實有更多人習慣了線上化的消費與溝通方式，使得當代實體店面存在的價值在於打造有別以往的品牌體驗。「客人為什麼要專程來到實體空間，為什麼要專程來使用某一個服務，又為什麼要專程來參與這個活動？如果沒有非來不可的理由，實體店面存在的價值或意義又是什麼？」

zonezone 的存在既是實驗，也是對於上述提問積極的答覆：關於生活，任何人都很難一言以蔽之。然而，zonezone 企圖透過體驗的集結，擴張「過好生活」的版圖，並藉由富有實驗性的品牌體驗，延展生活的邊界，以致於有更多可能在這個充滿能動性的空間裡成真。

1　在 zonezone 擔任生活體驗顧問的黃偉翔（Alan）。
2　《謎探樂園》餐飲體驗。

在體驗裡頭看見生活的可能，帶走可即刻嘗試的改變。

《hence,》如何
創造與讀者共鳴
的場景？

Owned Media

編輯生活的
美好百態

TEXT by YIHSIN
PHOTOGRAPHY by Kris Kang、Emma SY Wang、Amber YJ Lai

透過閱讀展開探索生活的第一步。恆隆行的內容團隊正以編輯之眼，匯聚並精選出各領域人士的生活美學，展示日常物件的驚喜發現，期待讀者從紙本和網站出發，找到與自我共鳴的生活故事，讓每趟閱讀旅程的終點，都是往下一步邁進的起點。

PHOTOGRAPHY by Amber YJ Lai

《hence,》雜誌封面專題第二期「翻開,我們的 B 面人生:」,
希望與讀者一起卸下社交面具,嘗試更多做些自己。

攤開恆隆行出版的《hence,》雜誌創刊號,由擅長在前衛與主流之間拿捏微
妙界線的設計團隊「HOUTH」擔綱設計,從封面開始,便巧妙翻玩撞色元
素,幾筆寫意療癒的插畫,在大膽之中隱含收斂,與《hence,》創刊號所欲
傳達的理念不謀而合 —— 正所謂「跳脫日常慣性」,大隱於市,在繁忙倉促
的生活中找到個人的豐饒,一本關於關於「過」生活的雜誌就此誕生。

《hence,》讓我們看見生活「不止於此」的諸多可能

其實在 UNIQLO 推出《LifeWear magazine》之前,2017 年恆隆行便以
「會員刊物」形式持續經營紙本內容,作為溝通企業主張的第一線。身為
《hence,》總編輯的彭永翔(Josh)提到:「內容一直都是恆隆行很關注的
面向,近年也開始將其視為企業的品牌行銷工具(Branding Tool)。」因此,
從命名開始,《hence,》長出了自己的符號,結構化地去定調恆隆行對外的
內容策略。希望藉由內容與既有會員們溝通並觸及未來的潛在消費者,建立
品牌社群。

在資訊速食化的當代,反而更需要精挑細選的深度內容。hence 是「因此」
之意,可以延伸解釋為「因此,我們不止於現狀」,同時也回應了恆隆行的
品牌精神——讓生活大於想像。Josh 進一步說到:「讀者看完之後是否有機
會『take action』對我們來說蠻重要的。」從線下延伸至線上,讓閱讀不止
於單純的吸收資訊,而能實際為讀者創造改變生活的契機,「雖然是品牌推
出的雜誌,但我們甚至希望內容不要有太強的置入感,用議題切入,重新定
錨恆隆行『商品』與『內容』的連結,用有別於傳統的行銷手法與溝通方式,
重新講一個產品的故事。」

《hence,》傳遞一種生活的態度,與讀者一起看到另一種生活面向。

實際觸摸《hence,》雜誌的印刷、加工、紙張，細讀內容與編排，除了作為一本雜誌的「實感」之外，亦可以看見其中巧思 —— 例如，拜訪飲食作家毛奇的家，並分享她如何用 VERMICULAR 的 IH 琺瑯鑄鐵電子鍋一鍋到底做出三道美味料理；同時，也聊攝影師叮咚在相機視窗以外的世界，他如何以觀察、剖析、感受與連結，在觀看他人之餘不忘回看自己，在物件之中寄託生活與情感，編織屬於自己的靜謐天地。

生活風格不僅是選品，更是探索自我

對內容團隊而言，所謂的生活風格，並非布爾喬亞式的純粹浪漫或是選物品味，而是找到你是誰，認識了自己，才會知道想要什麼樣的生活風格。因此，恆隆行內容團隊與 500 輯合作的《hence,》雜誌創刊號將專題定名為《給 ___ 生活風格使用說明書》，中間的破折號歡迎填入任何自己想要成為的人。藉由雜誌的內容，與讀者一起跳脫日常、探索新的生活面向。就像銀座聚場主理人承漢所分享的，那種一旦知道底線，也就不必害怕未知的冒險態度，「希望可以藉由受訪者的分享，給大家一點力量，再踏出舒適圈一些，做你自己想做的事。」

在雜誌之外，恆隆行內容團隊也從讀者與會員的需求出發，整合紙本與數位內容通路，為不同取向的讀者創造客製化的閱讀情境。點開恆隆行官網中的《hence,》，團隊不僅邀請飲食作家盧怡安、釀電影主編張硯拓擔任專欄作

恆隆行內容團隊的 Josh（右）與 Mimy（左），嘗試以編輯的角度說故事、溝通品牌形象，藉由多元的內容與讀者及消費者建立更深厚的關係。

家，每季更規劃不同網路專題，像是「好久不見，京都」、「我的療癒廚房」等。「我們嘗試透過內容去接觸更年輕的受眾。例如找到不同產業領域、不同世代的創意人，從生活的角度去解剖他們，為所謂『生活』開創不同情境和視角。」

PHOTOGRAPHY by Kris Kang

一同參與《hence,》數位內容製作、並負責社群經營的數位主編詹雅婷（Mimy）分享，《hence,》線上的內容包含各類生活專欄與每季規劃的專題，她藉由社群經營以及 LINE 推播，再次包裝所有恆隆行的會員或潛在顧客感興趣的訊息，例如：整合《hence,》雜誌的台式麵包企畫與官網上的 VERMICULAR 麵包食譜，製作麵包專題的 LINE 推播。為了完成更「個人化」的消費者體驗，他們持續觀測互動和反饋，進一步挖掘更多符合受眾需求的議題。

運用攝影美學傳遞恆隆行的選物品味。

以內容作為載體，延展至各個接觸管道，在不同的接觸面輕盈卻深刻地傳遞核心價值與理念，創造會員的接觸媒介，讓消費者與恆隆行的關係不再限於『一次性的消費』，而是可以擴展至生活更多面向。明顯地，當恆隆行線上社群增加原生內容的推播後，點擊率與互動率也相對提升了。

從媒體走進品牌的 Josh 與 Mimy，在為企業注入新活水的同時，也保持開放、懷疑以及實驗的心態 —— 將內容視為品牌深化的起點，打破形式的界線，以感性的語彙挑動消費者的注意力。Mimy 認為「把媒體做內容的經驗帶入企業，最好玩的是如何把『產品說得有趣』，無聲無息地讓內容的接收者 Take in 你要傳遞的某種感受性的訊息，這可以比什麼都來得更有效。」

面向未來，內容團隊以 2023 年 8 月恆隆行為會員舉辦的限定活動《光織島》的「歡迎登入 ASMR 之島」展覽為例，期待以更多面向的五感策展，透過體驗與讀者及消費者建立更深的關係（engagement），建立品牌與顧客間的情感連結，「我們始終相信，內容不僅是以『報導』的方式呈現，活動及展覽企畫也是內容的另一面向，未來希望可以舉辦更多線下活動，與讀者們有更多實體接觸的機會，建立品牌社群。」內容是觸角也是果實，讓品牌可以在同中求異，在經典之中推動創新的可能。

溫度加乘創意
讓體驗
∞

在探索生活的
旅程中共感

圖右為帶領顧客服務團隊的恆隆行執行副總曾逸晉，以及團隊中的李雅惠、馮瓊分及方泰惟。

Customer Experience

如何讓消費者在不同時空都能一致感受到品牌細膩規劃的服務體驗，而對品牌產生信任感？恆隆行近年來透過數位工具、實體活動等方式，得以疊合使用者視角，打造出更專屬、更創新且零阻力的顧客旅程。

在過去負責 Dyson 時，開啟到府服務的幕後推手——恆隆行執行副總曾逸晉（Barry）。

到府服務的最高紀錄
到府專員單日

13 場

「你看，用小 V 鍋不只可以燉煮，還可以做舒肥雞胸肉喔。」恆隆行到府服務專員正在消費者家中，手把手親自示範如何用 VERMICULAR IH 琺瑯鑄鐵電子鍋輕鬆料理出濃縮各式食材鮮味的餐食。而在城市另一頭的恆隆行概念店 zonezone 裡，一群報名「生活好課」的會員，正聚精會神地向日料主廚請教品飲清酒技巧與搭餐訣竅。

場景轉向台中，萬豪集團旗下的豐邑 MOXY 酒店瀰漫著新潮流設計感，高空 18 樓的舒適空間內，一場體驗活動的參與者一邊享受下午茶，一邊用 LAURASTAR 的蒸汽熨斗手做潮 T。這些不一樣的生活場景，是恆隆行透過深化與多面向的顧客互動，不僅能理解他們對生活的期待，也能帶給顧客的美好體驗。

成為日常陪伴的到府服務團隊

恆隆行有感服務的開端正是從代理 Dyson 開始的。

「當年許多購買 Dyson 的消費者第一次看到沒有集塵袋、長得像變形金剛的吸塵器，即使看了說明書也不會用或是害怕用壞，又或是自行摸索後，卻不一定能讓產品完全發揮效能，無法創造口碑效應。」當年帶領 Dyson 團隊在台灣打下一片江山的執行副總曾逸晉（Barry）與內部成員因此針對精品家電推出「到府服務」。在過去，台灣小家電市場都是讓消費者自己搬著電鍋、電扇到服務站維修，回望當年的創新服務，不僅解決了這些不便，也讓 Dyson 吸塵器成功地走入許多人的家中。

平均每日維修件數 **400** 件

如今，只要消費者是在恆隆行的電商網站或是直營門市購買特定產品後，並向客服提出到府服務需求，兩天內便會有專人致電，安排後續的到府服務的時間。客服團隊的方泰惟分享，截至目前為止，一年可以服務將近萬戶家庭，近年也更朝向精準派工，更貼近顧客的需求。疫情期間，因為難以到府，更發展出「視訊服務」的新模式，到府服務也因著大環境的變遷，而不斷演化變形。

如今的到府服務團隊更扮演著多元的角色。專員親自到家不僅提供一對一教學，詳盡解說產品功能，還可以針對家電做簡易維修，

甚至進一步彼此交流居家風格，以回應更細膩的產品使用建議。隨著導入產品增加，到府團隊需要更多的專業知識，除了每三個月都會有技術考核，以熟悉自家代理產品，生活各面向的能力也得持續晉級。因此，每位服務專員都有至少一張的證照，從烹飪、烘焙、咖啡拉花到電器維修等，不僅是管家也是生活專家。

執行到府服務至今第十年的馮瓊分，最高一天到府紀錄高達 13 場，貼心健談的她，儼然成為顧客心中的專屬管家，像是推薦母親節禮物、建議居家好物，乃至於耐心傾聽顧

客的日常瑣事。而同樣資深的李雅惠則時常到訪一位家住高雄的年長者協助清理吸塵器，在閒聊中才知道，家中的吸塵器原是由孩子購買，但因孩子遠在竹科工作，到府服務專員反而成了日常裡的陪伴，替她悉心維護家電用品。

這些在工作日常裡的點點滴滴，也讓服務專員意識到自身與顧客珍貴的互動過程。某次瓊分接到一通電話詢問：「馮小姐，請問你還在恆隆行嗎？」沒想到是多年前，當時剛加入恆隆行時曾服務的顧客，竟然在她工作生涯的第九年再次聯繫上。

「我們希望消費者十年之後再來找恆隆行，還是由他們來幫你服務。」Barry 笑著說，對恆隆行而言，到府團隊不只是單純提供服務的工作人員，而是更像朋友般的存在。其實，到府服團隊的成員都有著體貼同理、熱心健談的特質；常常單槍匹馬開著車、逐一拜訪有需求的顧客，而那樣的熟悉及信任感，如果沒有時間的積累，無法結晶穩固。

與顧客共度非日常的獨特時光

隨著科技演進，消費者與品牌互動的觸點愈來愈多元，下單的關鍵不再只是價格或產品本身，品牌在他們心中是不是留有足夠的印象，左右了消費者最終的購買決定。當今品牌的挑戰在於：如何確保與消費者的每一次互動及服務體驗，都是便利且令人感到愉快的，進而提升消費者對品牌的忠誠度。

會員活動
參與率成長

4 倍

一週限定的會員活動《光織島 Sparkle Island》特展。

2023 年，恆隆行以「生活有亮點」會員計畫為會員打造更獨特的服務體驗，創造認同恆隆行的忠誠客戶。這項計畫的命名延續著恆隆行對生活的觀點，「希望每一個熱愛生活的人，在生活中尋找亮點、創造亮點。」透過消費累積的「亮點」可用來換取消費、維修等服務，也能優先參與形式與內容豐富的體驗活動，引領顧客向外嘗試生活的各種可能，同時探索自我對生活的真實嚮往。

首次針對會員打造的年度大型活動《光織島 Sparkle Island》以恆隆行概念店 zonezone 為主場域，並連動恆隆行官方 LINE，展開一週限定的體驗活動。

會員走入展場登島時，一經手機掃描條碼，恆隆行官方 LINE 隨即切換進入聲之光主題，此刻觀展者像是坐上一般逸離時空的船前往神秘的「光織島」。隨著展場動線穿越廊道，伴隨著 Dyson Zone 耳機沉浸入創意人的聲音旅途，最後抵達「聲之光 ASMR 療癒光影展」的沉浸場域內，瑩白光纖在光影交織的島嶼中，猶如夜空綻放的花火，觀展者恣意躺臥在軟墊上，戴上 LEXON 的藍牙耳機，點開官方 LINE 裡的播放清單，跟著聲音創作者製作的 ASMR 播放清單回到當下，展開一趟在聲音中逐漸放鬆的旅程，甚至有長期失眠困擾的參觀者，在聆聽過程中靜靜入睡，換得在生活中得以喘息的片刻。

在這次展覽中，也融入了部分恆隆行代理的商品聲音在 ASMR 播放清單中，像是使用 Coway 飲水機時的輕柔按鍵聲、或是 TWINBIRD 咖啡機的溫暖磨豆聲。有會員就分享，從沒想到這些生活用品的聲音，也能猶如大自然的音律般得以讓身心靈放鬆；也有剛結束在不丹旅程的旅人回饋：這是回國後頭一次參與到一場有趣的深度體驗。

而在北、中、南各櫃位舉辦的「藝之光」課程，則讓許多會員們特地遠道而來，參與這場由廢棄家電結合編織工藝變身為藝術品的體驗。「從一開始彼此陌生，到過程中因為經歷不斷的嘗試與討論，現場氣氛開始變得熱絡。」參與的會員分享起他心中的恆隆行已不再是傳統的代理商，而是藉由每次的選品與活動傳遞某種理念，並讓每個參與者都能享受其中，帶走一段美好的時刻，為日常注入不同的回憶。

恆隆行透過非日常的亮點聚集，串聯線上線下的會員互動，感受到非日常的溫度與靈感延伸，並希望不僅是透過「顧客旅程」來了解顧客，更期待在到府服務、選品服務、內容體驗與會員計畫等活動，滿足人們對改變生活的渴望，提供更豐富的風格情境，而每一次的互動都在建立起連結，慢慢交織出恆隆行獨特生態系—在那裡每個人都以不同形態在生活裡發光！

1 / 2　一週限定的會員活動《光織島 Sparkle Island》特展。

◎ 在這裡與我們相遇

TEXT by 鄒明珆
ILLUSTRATION by ONE.10 Society 簡士閎

01

TAIPEI ●
台北 101 專櫃

尋找獨處的寧靜片刻

▪ 台北市信義區信義路五段 7 號 B1

台北 101 專櫃以「個人獨處需求」為主軸,跳脫傳統的商品陳列思維,設計出猶如家中客廳、吧檯等日常情境,從櫃位開始體驗包藏於生活中的美學與品味。穿梭在不同場景的有 Sunbeam 經典義式濃縮咖啡機、Style 健康護脊沙發或椅墊及 medisana 冷熱震動按摩槍,提供一天終始的身心照顧需求;而 Dyson 美髮造型器及 LAURASTAR 頂級熨燙系統,則能完美打理每日的生活行頭。無論是想追求清爽而細緻的生活或是舒適的單身空間,都能走進櫃位體驗與自己相處的可能。

恆隆行以顧客體驗為出發點，為實體櫃位策畫多元主題，創造超越視覺、喚醒五感的消費體驗。我們特別從全台各櫃中精選四個櫃點，帶領讀者穿梭在不同的生活場景，找到屬於自己現階段的生活需求與風格展現。

02

HSINCHU
新竹巨城 c!ty'super 超市廚房專櫃

打造理想的廚房生活

▪ 新竹市東區中央路 229 號 B1

位於新竹巨城 c!ty'super 超市裡的櫃點，特別規劃超市廚房專櫃。木質感飾條交錯的牆面以及圓潤的櫃體，讓空間充滿溫馨氛圍。作為唯一緊鄰超市的櫃位，恆隆行精選多樣廚房用具，舉辦許多深受料理人喜愛的體驗活動。吃飯是一天之中，難得屬於自己與家人的美好片刻，想著今天要做的料理，購買新鮮的食材、選擇好的廚房用具，走進廚房為心愛的人料理，品嘗幸福的生活滋味。

03

TAICHUNG
台中三井 LaLaport 專櫃

親子共享的多元體驗

▪ 台中市東區進德路 600 號 3 樓

台中三井 LaLaport 專櫃希望讓孩子們也能擁有自己的空間。大面積的落地窗，面朝台糖生態公園湖景，引入自然光線與綠意。在親子友善的草皮設計上，提供兒童繪紙與精選童書等服務；法國 LEXON 品牌的多元商品陳列妝點了滿室空間。同時，此專櫃建材採用通過 FSC™ 森林管理委員會驗證的木材，擁有健康綠建材標章的塗裝板材，樹立環境永續的典範。走進櫃位彷彿看見生活該有的面貌，隨季節變換的自然景觀、親子因互動而滋潤的情感，帶走物件同時也不自覺帶走美好的空間記憶。

04

木質與綠意交錯的旗艦空間

▪ 高雄市鼓山區龍子里大順一路 115 號 B1

在高雄義享時尚廣場 78 坪的旗艦概念店,是目前恆隆行坪數最大的櫃位,設計了客廳、廚房等不同場景,且幾乎所有由恆隆行代理的品牌都陳列於此,跟著天花造型燈光指引,走進由精品智慧家電構築出的生活風格展,走逛其間感受恆隆行選品的獨特品味。除了設計客廳空間夕,還有 20 坪的寬敞廚房,陳列了多元美型廚具,並不定期策劃小農特輯或是名廚展演等體驗活動,為繁忙的城市,創造一隅木質與橄欖色調交錯的舒活空間。

Curation

策展體驗，讓生活的想像由此萌芽

TEXT by 鄒明珆
PHOTOGRAPHY by Pong 彭婷羚、汪德範、林祐任
PHOTO COURTESY of 恆隆行

恆隆行的生活美學隨著選品領域、匯聚各領域創意人的策展與活動,不斷進化出別出心裁的美感體驗,回應趨勢的倡議行動,一切來自「讓生活大於想像」的本質從未改變。透過體驗設計與跨界合作,恆隆行以會員活動、永續旅行體驗、主題展覽等多元活動,與人們一起探索生活的不同可能。

PHOTOGRAPHY by 汪德範

PHTOGRAPHY by Pong 彭博羚

1 / 2　由 DJ Kay Lee 策劃融合頌缽、溪水鼓等樂器和環境音的療癒旅程。

3　「食之光」打造隱藏版美味饗宴。

PHTOGRAPHY by Pong 彭梓烜

PHOTOGRAPHY by 汪德範

4 / 5 「聲之光」邀請各領域創意人分享生活中療癒他們的聲音。

01 | 踏上超現實的療癒旅程
一期一會的光織島會員活動

2023 年夏天，恆隆行集結光影藝術、聲音療癒、限定餐酒和產品體驗等元素，舉辦了一週限定的光織島會員活動。活動期間，恆隆行不僅在線上展示 24 個經典品牌的幕後故事，並規劃「聲之光」、「食之光」和「藝之光」等三大主題，讓會員可以在夢幻的光影空間中聆聽令人放鬆的 ASMR 聲音、品味隱藏版美食，並搶先體驗還未上市的新產品。

「聲之光」邀集白輻射影像設計總監洪鈺堂、身心靈品牌 the MEDIAN 主理人暨博物映項 Project On Museum（POM）藝術指導 Stella、聲音創作者邱子蕎和蕭芸安，以及彡苗空間實驗的三位共同創辦人樂美成、鄭又維、羅開等創意人，分享生活中療癒他們的聲音，並由 DJ Kay Lee 策劃融合頌缽、溪水鼓等樂器和環境音的療癒旅程，體驗澄澈平靜的美好時刻。

「食之光」打造隱藏版美味饗宴，包括無明的盤式甜點搭配 [tei] by O'bond 風格調酒的「風味交織」，和牛肉麵名店門前隱味帶來的「璀璨一現」隱藏菜單，讓賓客可以細細品嘗在別處吃不到的光織島專屬風味。

「藝之光」則推出 VERMICULAR 琺瑯鑄鐵鍋職人工藝微型特展，並企劃「編織永續綠意」的編織體驗活動，在恆隆行的北中南三大櫃點，由「編・故事」品牌設計師 Lucy 帶領會員們藉由 Macrame 法式繩結編織技藝，將家電零件改造成獨特花器，既可享受專注於手工藝活動的快樂，也實踐了環保永續精神。

1 了了礁溪運用碳化孟宗竹的竹圍、流水等元素，營造出如樹洞的有機體。

02 | 為生活騰出寧靜的片刻

恆隆行╳了了礁溪「JING 心時刻」

了了礁溪是由小雨林民宿的共同創辦人林品佐，與《2021 威尼斯建築雙年展》策展人 —— 自然洋行建築事務所主持人曾志偉合作打造的空間，運用巨大且不規則的碳化孟宗竹的竹圍、流水等元素，營造出有如「樹洞的」有機體，不僅為旅人提供更自在的休憩空間，並與自然景觀更加貼近。

這樣的理念，吸引了不斷探索生活樣貌的恆隆行，在 2023 年與了了礁溪合作推出「JING 心時刻」一泊二食的策展式慢旅體驗企畫，開啟一趟沉澱心緒的旅行。以靜、進、境、浸等 12 個 JING 同音字為意念的靜心體驗，結合自恆隆行支持成立的循環購物平台 restyle2050 所精選的生活家電，融入了了礁溪的入住過程，創造出更細膩的五感住宿體驗，邀請入住者跟著「JING 心時刻手札」的導引，放下手機、關掉電視，在靜謐的空間中慢慢呼吸，感受周遭世界。

除了客房設施，「JING 心時刻」也將五感體驗延伸至餐飲服務，來到 HABITAT 餐廳，可以品味用 SodaStream 製作出口感明亮、舒爽的氣泡飲品，以及特別為入住了了礁溪的恆隆行會員，用當季食材結合 VERMICULAR 琺瑯鑄鐵鍋所設計的主廚隱藏版料理等，為慢旅體驗帶來貼心的小驚喜。

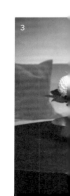

3

4　結合 VERMICULAR 琺瑯鑄鐵鍋所設計的獨家料理。

2 / 5　跟著「JING 心時刻手札」導引體驗慢旅生活。

「JING 心時刻」一泊二食的策展式慢旅體驗。

03 ｜走出傳統銷售通路跨域新體驗
restyle2050 策展式空間體驗

擁有超過一甲子歷史的恆隆行積極回應永續議題，特別成立 restyle2050 平台，與不同領域的團隊展開「跨域合作」，以實際行動回應環境永續的初衷。

包括與新型態居住品牌 Alife，以及佇立在宜蘭礁溪、由廢棄老倉庫重新轉化為療癒民宿品牌的小雨林，合作推出住客體驗和購買產品的優惠活動，讓消費者有機會近距離欣賞「不完美的美」。甚至與同樣關心永續、ESG 議題的 HOTEL COZZI，合作打造有質感的永續旅遊企畫，透過更多樣化的方式，帶動大眾一起從日常生活響應永續目標。

1　消費者藉由入住過程使用並欣賞循環家電其「不完美的美」。
2　位於宜蘭礁溪、由廢棄倉庫重新轉化的小雨林。

04 | 重新定義不完美

D → Project 不完美╳瑕疵計畫

此外，恆隆行也透過創意的多元策展，讓永續的倡議化為有感的展覽。例如與致力於將廢棄玻璃回收並再生的春池玻璃跨界合作「D → Project 不完美╳瑕疵計畫」，藉著展示一般大眾認為的「不完美」產品提問：「這樣的不完美／瑕疵，你能接受嗎？」

此策展將 restyle2050 平台上非全新但功能完整的產品，以紅色箭頭放大其瑕疵處，策展團隊透過主動揭露出產品的「不完美」，引導觀展者循著展覽動線，進一步針對此一價值做出「選擇」互動。提醒人們換一種方式、角度做出選擇，生活會浮現不一樣的情景。

策展團隊認為：「透過展示『不完美』商品跟消費者溝通，瑕疵未必不好，不完美也可以是完美的選擇。」從認識與體驗不完美的產品，進行消費行為的價值選擇，引導觀展者思考產品重生的可能，邀請他們支持 restyle2050 在循環經濟的行動，進一步對社會與環境發揮影響力。

1 跨界合作春池玻璃的「D → Project 不完美╳瑕疵計畫」。
2 以策展觸發消費者思考產品重生的可能。
3 在展場期間限定的餐飲體驗。